这是我的书 It's MY BOOK 6 6级：300字

有用的小电脑

作者：秦志宁（Zhining Chin）
配图：秦志宁（Zhining Chin）

北京语言大学出版社
BEIJING LANGUAGE AND CULTURE UNIVERSITY PRESS
PHOENIX TREE
PHOENIX TREE PUBLISHING INC.

识 读 发 作业 故事 字 句 对话

句 型 可以……还可以……

字 数 325字

jīn tiān xué xiào gěi měi gè xué shēng fā le
今天，学校给每个学生发了
yì tái píng bǎn xiǎo diàn nǎo tā jiào tóng xué
一台平板小电脑，它叫 iPad，同学
men gāo xìng de yòu chàng yòu tiào
们高兴得又唱又跳。

shì gè hǎo gōng jù lǎo shī hé tóng xué
iPad 是个好工具，老师和同学

dōu xǐ huan shàng kè shí xué shēng zài shang
都喜欢。上课时，学生在 iPad 上

huí dá wèn tí
回答问题。

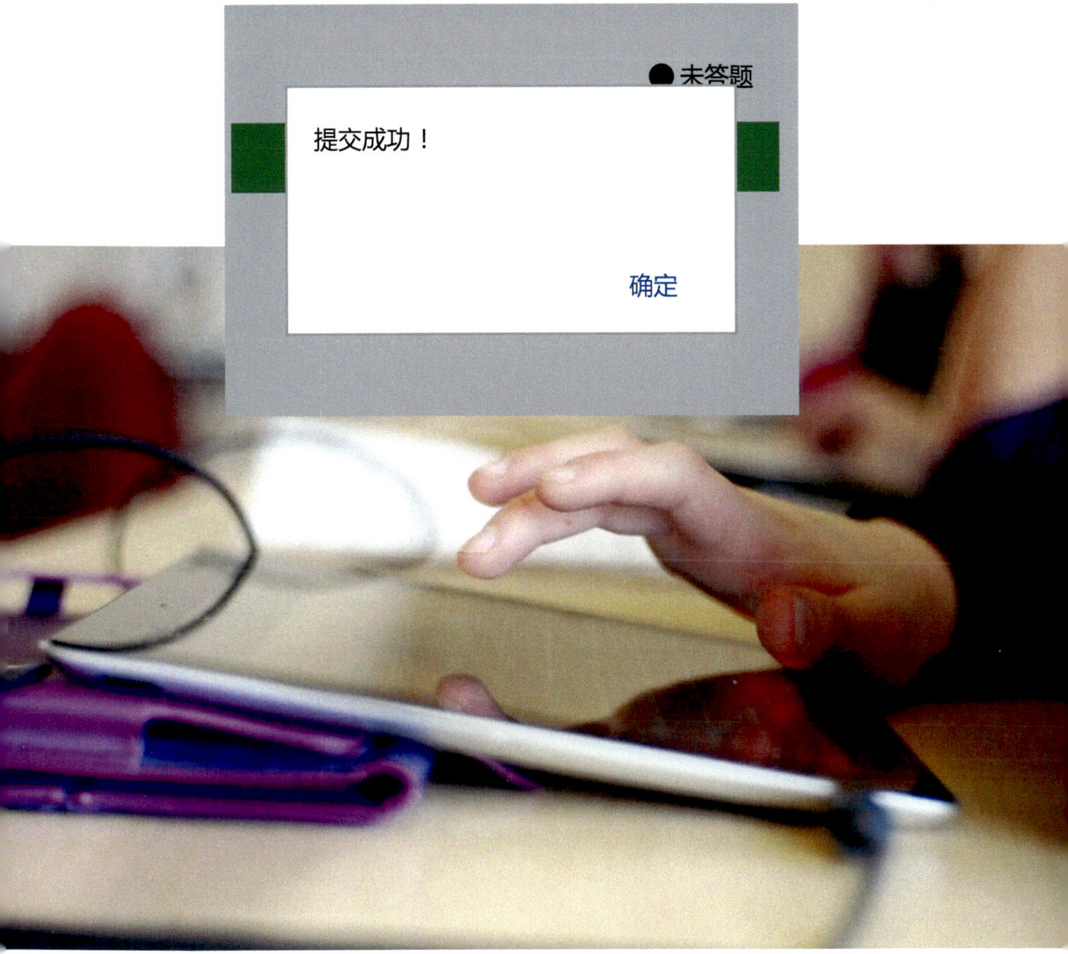

huí jiā hòu, xué shēng zài iPad shang zuò zuò

回家后，学生在 iPad 上做作

yè. zuò wán yǐ hòu, diǎn jī "tí jiāo", zuò

业。做完以后，点击“提交”，作

yè jiù gěi lǎo shī le.

业就给老师了。

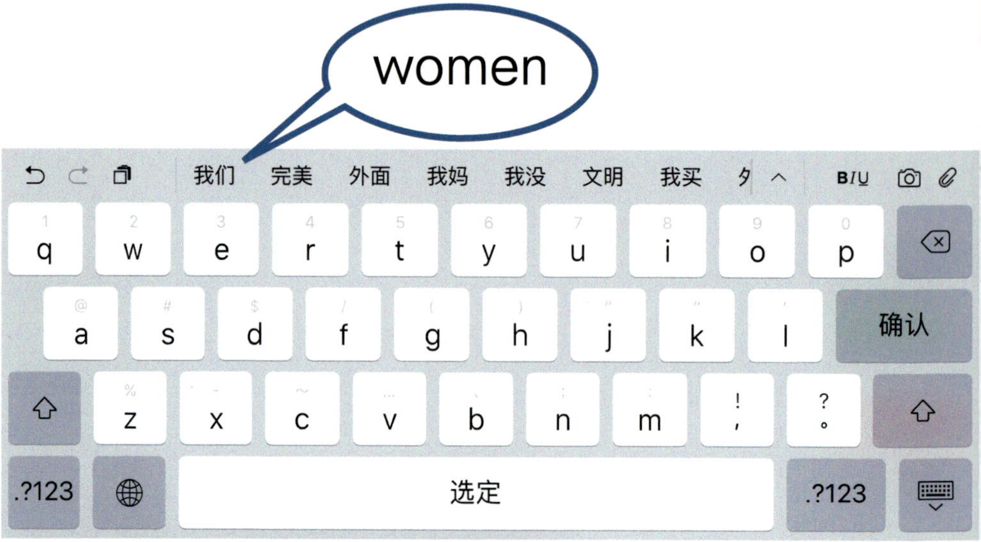

zuò shù xué zuò
做数学作

yè shí tā men kě
业时，他们可

yǐ yòng shang de
以用iPad上的

jì suàn qì lái bāng
计算器来帮

máng xiě zhōng wén
忙。写中文

zuò yè shí hái kě
作业时，还可

yǐ yòng dǎ pīn
以用iPad打拼

yīn mǎ shàng zhōng wén de zì jiù chū lai le
音，马上中文的字就出来了。

hěn duō tóng xué zài shang kàn shū xué xiào
很多同学在iPad上看书。学校

wèi dà jiā dìng le hěn duō shū zhǐ yào zhǎo dào zì
为大家订了很多书，只要找到自

jǐ de nián jí zài diǎn jī shū de biāo tí jiù
己的年级，再点击书的标题，就

kě yǐ yí jù yí jù de dú xia qu le měi běn
可以一句一句地读下去了。每本

shū de gù shi dōu hěn hǎo wánr tú piàn yòu dà
书的故事都很好玩儿，图片又大

yòu liàng shū shang de zì kě yǐ biàn dà biàn xiǎo
又亮，书上的字可以变大变小，

yǒu xiē shū hái yǒu shēng yīn ne
有些书还有声音呢！

yǒu de tóng xué xǐ huan yòng lái pāi zhào
有的同学喜欢用iPad来拍照、
lù yīn lù xiàng yǒu yí wèi nǚ tóng xué shì xué xiào
录音、录像。有一位女同学是学校
de zhōng wén xiǎo jì zhě tā xiàng xiào zhǎng hé lǎo shī
的中文小记者。她向校长和老师
tí wèn tīng xué shēng hé jiā zhǎng duì huà tā yòng
提问，听学生和家长对话。她用
bǎ zhè xiē quán dōu pāi le xia lai
iPad把这些全都拍了下来。

huí dào jiā tā yòng shang de ruǎn jiàn bǎ
回到家，她用iPad上的软件把
pāi xia lai de zhào piàn hé lù xiàng zuò chéng xiǎo diàn
拍下来的照片和录像做成小电
yǐng fàng zài xué xiào de wǎng zhàn shang měi gè rén
影，放在学校的网站上，每个人
jiù dōu néng kàn dào le zhēn shì tài néng gàn
就都能看到了。iPad真是太能干
le tā shì dà jiā de hǎo péng you
了！它是大家的好朋友！

1 今天，学校给每个学生发了一台平板小电脑，它叫 iPad，同学们高兴得又唱又跳。

2 iPad 是个好工具，老师和同学都喜欢。上课时，学生在 iPad 上回答问题。

3 回家后，学生在 iPad 上做作业。做完以后，点击“提交”，作业就给老师了。

4 做数学作业时，他们可以用 iPad 上的计算器来帮忙。写中文作业时，还可以用 iPad 打拼音，马上中文的字就出来了。

5 很多同学在 iPad 上看书。学校为大家订了很多书，只要找到自己的年级，再点击书的标题，就可以一句一句地读下去了。每本书的故事都很好玩儿，图片又大又亮，书上的字可以变大变小，有些书还有声音呢！

6 有的同学喜欢用 iPad 来拍照、录音、录像。有一位女同学是学校的中文小记者。她向校长和老师提问，听学生和家长对话。她用 iPad 把这些全都拍了下来。

7 回到家，她用 iPad 上的软件把拍下来的照片和录像做成小电影，放在学校的网站上，每个人就都能看到了。iPad 真是太能干了！它是大家的好朋友！

1

2

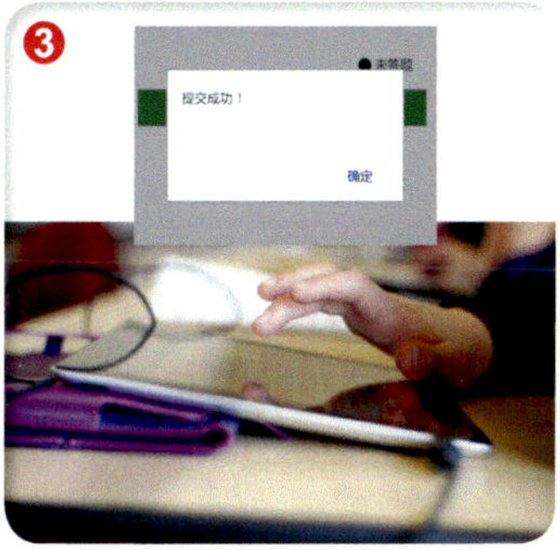
3
提交成功！
确定

4
women
确认
选定

5

6

看图讲故事

7